S0-CCG-373

**Goodnight Moon**

by Margaret Wise Brown and pictures by Clement Hurd.



Published by arrangement with HARPERCOLLINS CHILDREN'S BOOKS
through Bardon- Chinese Media Agency.

 中文版授權 上誼文化實業股份有限公司 出版發行

**月亮晚安**

文／瑪格麗特・懷茲・布朗　圖／克雷門・赫德　譯／黃迺毓
總編輯／高明美　企劃／李坤珊、柯倩華、邱孟嫻
執行編輯／楊令怡、陳淑英　美術編輯／劉蔚君　生產管理／王彥森
發行人／張杏如　出版／上誼文化實業股份有限公司　地址／台北市重慶南路二段75號
電話／(02)23913384　定價／200元　郵撥／10424361　上誼文化實業股份有限公司
網址／http://www.hsin-yi.org.tw　2002年12月初版　2014年2月二版十八刷
ISBN／957-762-320-4（精裝）　印刷／中華彩色印刷股份有限公司

# 月亮晚安

文／瑪格麗特・懷茲・布朗
圖／克雷門・赫德
譯／黃迺毓

上誼

在這個綠色的大房間裡
有一支電話
一顆紅汽球
和兩幅畫，一幅畫裡有

Bunny

跳過月亮的牛

一幅畫裡有三隻小熊坐在椅子上

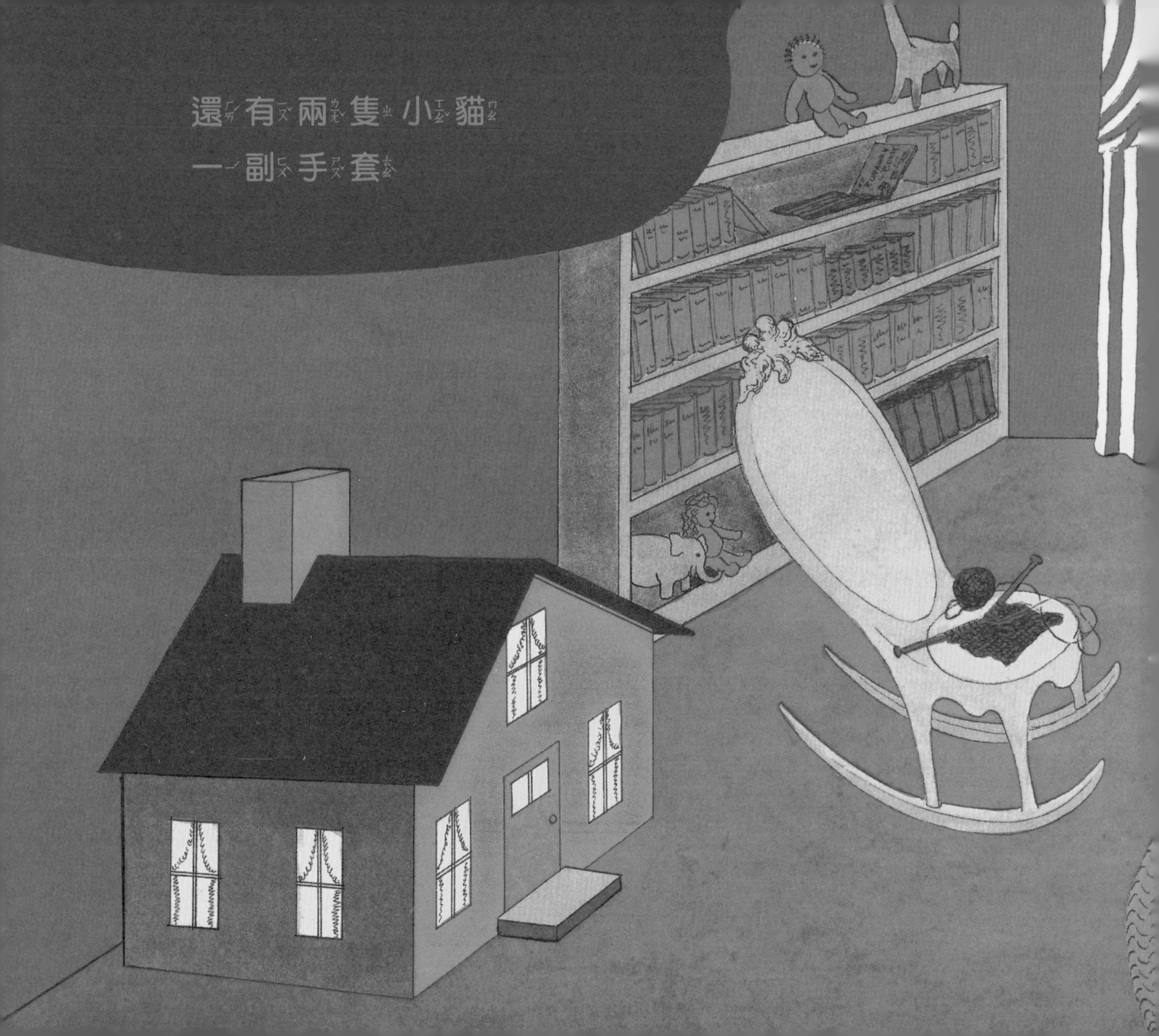

還[ㄏㄞˊ]有[ㄧㄡˇ]兩[ㄌㄧㄤˇ]隻[ㄓ]小[ㄒㄧㄠˇ]貓[ㄇㄠ]
一[ㄧ]副[ㄈㄨˋ]手[ㄕㄡˇ]套[ㄊㄠˋ]

一座小小的玩具屋
一隻小老鼠

一把梳子、一把刷子和一碗麥片粥

還有一位安靜的老太太小聲的「噓——」

房間　晚安

BUNNY

月亮　晚安

跳過月亮的牛　晚安

檯燈　晚安
紅氣球　晚安

熊寶寶　晚安
小椅子　晚安

BUNNY

小貓　晚安

手ㄕㄡˇ套ㄊㄠˋ　晚ㄨㄢˇ安ㄢ

時鐘 晚安
襪子 晚安
Bunny

小屋　晚安

老ㄌㄠˇ鼠ㄕㄨˇ　晚ㄨㄢˇ安ㄢ

梳子　晚安

刷子　晚安

Bunny

晚ㄨㄢˇ安ㄢ　晚ㄨㄢˇ安ㄢ

麥片粥　晚安

安靜的老太太　晚安

Bunny

星星晚安

空氣晚安

全世界的聲音　晚安

## 【給爸爸媽媽的話】

這是個喧囂而忙亂的世代，從人類久遠的歷史來看，在短短的期間內，我們的生活由農業社會經過工商社會，進入資訊社會。

過去數千年，人們過著「日出而作，日入而息」而且「春耕、夏作、秋收、冬藏」的農家生活，那種的按著季節、氣候、時令的改變而「以自然的作息為參考依據」的生活步調，在許多人腦海中或許還有印象，也或許有些懷念。而工商社會中，機器取代了勞力，人為環境取代了自然環境，人的生活作息便開始失控，例如：電燈打破了陽光在人們生活中的某些功能，日出算甚麼？我們比太陽更早「上班」！日入又算甚麼？我們挑燈夜戰，讓太陽先回去休息！好像不做牛做馬就有愧為人類。

當人們還在為工商社會的忙碌和緊張呻吟不已、無所適從時，赫然發現時代的腳步悄悄的邁向迅速而有效率的資訊社會。人們除了離開自然，也開始離開人群，我們花在面對電腦的時間已經超出前二者了吧？我們透過手機談話的機會也超出與人面對面談心了吧？所以失眠和憂鬱成為現代流行病，現代人真的需要重新學習「安息」的功課。

在如此的迷惑中，細讀這本經典圖畫書《月亮晚安》，就更有感覺了。如此的單純、簡樸、寧靜、溫馨，在這個複雜、吵鬧、忙亂的環境中，令人感到格外珍貴。這個故事簡單得令人不敢置信，一隻小兔子準備要上床睡覺，隨著夜色更深，房間更暗，他向周圍每一樣東西道晚安。沒錯，作者瑪格麗特・懷茲・布朗就是這麼篤定的寫出這個故事，讓繪圖者克雷門・赫德畫出這本不朽的、無法超越的圖畫書。

父母可以給孩子最好的環境就是在這個世界上讓他們有家的穩定感。孩子需要自己的空間，不論是想像空間還是真實空間，穩定而安詳的空間可以讓孩子感受到幸福和無條件的愛與接納，因而產生安全感。書上出現的日用物品都是孩子所熟悉的，如電話、汽球、圖畫等等。熟悉，也是讓心情能夠安定下來的重要因素。

一開始，時鐘指著七點，雖然窗外繁星點點，但是小兔似乎還不甘心入眠，於是他環顧四周——綠色的房間，橘色的地板，橘色的床，綠色的被單（好大膽的配色）。地板上有張虎皮地毯，嗯，連老虎都不構成威脅了。

房間裡有兩隻貓，小老鼠卻安然無恙，可見貓也已經被餵飽了，很安全。還有壁爐裡的火焰，感覺很溫暖。

然後他看到牆上的圖畫（有一幅是《逃家小兔》的畫，你注意到了嗎？），房裡還有其他東西，想必生活中息息相關，以致他在睡前依依不捨。睡覺是一種短暫的告別，因著身體的休息，所有的感官必須與周遭事物暫時分開一下，唉，真是不得已啊！身體已經累了，抵抗不了這個無法抗拒的自然定律了，於是在意識漸漸模糊的時光中，他向著房間裡的這個那個一一道別，而房間裡的光線也隨著他睡意漸濃而逐漸昏暗。

當他開始向房間道晚安時，窗外的月亮逐漸上升，他向月亮道晚安，那時是七點二十分，麥片粥在圓桌上，（怎麼不吃了才睡呢？）兩隻貓還在玩老太太的毛線。

到了七點半，他向檯燈、氣球、小熊、椅子道晚安，還支撐著爬出被窩。七點四十分，他端坐在枕頭上，向時鐘和襪子道晚安，老太太已經睏了，貓也快要睡著了，他陸續向小屋和老鼠道晚安。七點五十分，他開始轉身，即將倒下，還在向梳子和刷子道晚安。八點鐘，老太太收拾毛線，室內暗得快看不清楚了，窗外卻是明月皎潔，星光燦爛。等等，你看老鼠在作甚麼？下個彩色頁雖一片昏暗，還是隱約看到粥少了些，老鼠可能是餓了，吃了幾口粥吧？

終於，他甘願了，安心了，大約八點十分吧？他安然入睡，老太太也離開了，兩隻貓窩在一起睡在搖椅上，想必很舒適吧？最後，他向所有的聲音道晚安，（在進入睡眠前，聽覺是最後消失的嗎？）萬籟俱寂，小兔安心的睡著，只有老鼠還在窗台上沒睡。（吃太飽，睡不著？）壁爐的火還在燃燒，小玩具屋的燈還亮著。好像留下對明天的期待和盼望。不管你這一天過得如何，晚上總會來到，都需向「今天」和「這裡」告別，做個結束，明天，又是新的一天。

有些東西越新越好，有些則是越陳越香。圖畫書很多，卻只有耐讀耐看的可以經得起歲月的篩選過濾而存留下來。

黃迺毓
（台灣師範大學人類發展與家庭教育學系教授）